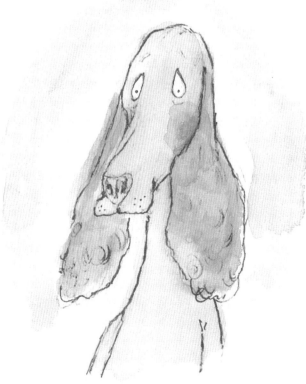

DOG
Y LOS LIBROS

LOUISE YATES

editorial
flamboyant

A Dog le
encantaban
los libros.

Le encantaba
su olor

y le encantaba su tacto.

Le encantaba todo sobre ellos.

A Dog le gustaban tanto los libros

que decidió abrir
su propia librería.

Desenvolvió,

desempaquetó

y apiló los libros,
a punto para la Gran
Inauguración.

Cuando por fin llegó
el día de la Gran
Inauguración, Dog
tomó un baño,

se secó
el pelo,

se sonó
la nariz

y abrió las puertas para dar la bienvenida

a sus nuevos clientes.

Pero por allí no aparecía nadie.

Así que Dog trató de mantenerse ocupado.

Y entonces…

una señora entró en la librería.

«Tomaré un té con leche y dos terroncitos de azúcar»,
dijo.

«Disculpe —respondió Dog—, pero esto es una librería. Solo vendo libros.»

Y la señora se largó.

Dog
estaba solo.

Esperó
y esperó.

Entonces un señor entró en la tienda…

para pedir indicaciones.

Cuando se fue, Dog se desmoralizó.

¡Pero no por
mucho tiempo!

No esperaría más
de patas cruzadas.

Dog buscó un libro en la estantería
y empezó a leer.

Cuando leía, se
olvidaba de que
estaba esperando.

Cuando leía, se
olvidaba de que
estaba solo.

Cuando leía, se olvidaba de que se encontraba en la librería.

Y cuando terminaba
una aventura,
simplemente cogía
otro libro de la
estantería y…

¡empezaba una
nueva aventura!

Así que Dog se encontraba en otra parte cuando…

entró una cliente en la tienda para preguntar sobre un libro.

Dog sabía
exactamente
qué libros
recomendar.

A Dog le encantan los libros,

pero por encima de todo…

¡le encanta compartirlos!

Para Eleanor y Cedric

Título original: *Dog Loves Books*
Publicado por vez primera por Random House Children's Books.
Copyright © Louise Yates, 2010

El derecho de Louise Yates de ser identificada como autora e ilustradora de esta obra se ha hecho valer de acuerdo
con el Acta 1988 de Diseño, Patentes y Derechos de Autor (Copyright, Designs and Patents Act 1988).

Copyright de esta edición: © Editorial Flamboyant S. L., 2012
Copyright de la traducción: © Eva Jiménez Tubau, 2011

Corrección de textos: Raúl Alonso Alemany

Primera edición: febrero, 2012
ISBN: 978-84-938602-4-0

Impreso en Malasia.

www.editorialflamboyant.com

Desde muy pequeña, **Louise Yates** empezó a ilustrar las historias que escribía, y pronto tuvo claro que quería dedicarse
a la ilustración de libros infantiles. Estudió Inglés en Oxford y Dibujo en The Prince's Drawing School (Londres). Publicó
su primer álbum ilustrado, *A Small Suprise*, en el año 2009, y le siguió este álbum en el 2010. *Dog y los libros* recibió
el Premio Roald Dahl Funny Prize, y fue finalista para la Medalla Kate Greenaway y best seller en la lista del
New York Times. Recientemente ha publicado la continuación: *Dog loves drawing.*